This book is due for return on or before the last date shown above: it may, subject to the book not being reserved by another reader, be renewed by personal application, post, or telephone, quoting this date and details of the book.

HAMPSHIRE COUNTY COUNCIL
County Library

100% recycled paper

Ottorino Respighi

Gli uccelli
Suite per piccola orchestra

Trittico botticelliano
per piccola orchestra

Partitura / Full Score

RICORDI

In copertina: *Uccello in volo*, Pompei, Casa dei Cubicoli floreali o del frutteto (II-III sec. a.C.)
Grafica di copertina di Giorgio Fioravanti

Casa Ricordi, Milano
© by **CASA RICORDI** - BMG RICORDI S.p.A.
Tutti i diritti riservati - All rights reserved
Anno 1995
Printed in Italy

PR 1342
ISMN M-041-91342-1

INDICE / *INDEX* / CONTENTS / *INHALT*

PREFAZIONE

Ai grandi affreschi sinfonici Ottorino Respighi (Bologna, 1879 - Roma, 1936) alternò la composizione di quadretti collegati in sequenze illustrative e scritti per formazioni strumentali da camera. Meno noti dei celebrati poemi "romani", la prima suite di *Antiche danze e arie*, la suite *Gli uccelli* e il *Trittico botticelliano* – pochi fili strumentali sottilmente intrecciati – richiamano alla mente la diafana magia degli acquarelli.

Respighi iniziò la composizione del *Trittico botticelliano* nel marzo del 1927, di ritorno dalla sua prima *tournée* negli Stati Uniti. Fu eseguito per la prima volta in un concerto organizzato dalla mecenate americana Elizabeth Sprague Coolidge che si tenne il 27 settembre dello stesso anno al Konzerthaus di Vienna diretto dall'autore. In questa come in altre opere, la sua fantasia rievocatrice indulge ad un gusto arcaicizzante, che è sottolineato dal ricorso a melodie gregoriane o comunque modali.

Le rivisitazioni di musiche del passato, di cui troviamo diversi saggi nella produzione respighiana, erano connotati diffusi nella cultura europea del tempo, condivisi anche da altri musicisti nostri quali Pizzetti e Malipiero. In Respighi essi rafforzavano i frutti di una formazione storicistica avuta nel Liceo musicale di Bologna, alla scuola di Luigi Torchi, uno dei primi raccoglitori dell'"Arte musicale in Italia nei secoli XIV-XVII" di cui fece conoscere pagine importanti e allora sconosciute attraverso la loro pubblicazione in 7 volumi editi da Ricordi.

Nella "libera trascrizione per orchestra" di *Antiche danze e arie*, prima e seconda suite (1917, 1923), Respighi aveva rievocato un altro arcaico mondo sonoro, quello delle danze rinascimentali espresse dal timbro tenero e breve del liuto. *Gli uccelli* rappresentano un analogo tipo di recupero di danze, del periodo barocco queste, che erano nate per il suono garrulo e cristallino del clavicembalo.

La partitura de *Gli uccelli* era stata scritta, insieme alle *Impressioni brasiliane*, in vista del suo secondo viaggio in Brasile nel giugno del 1928. La prima esecuzione avvenne al Teatro Municipal di San Paulo il 6 giugno 1928 diretta dall'autore. La musica fresca e vivace sollecitò poi la fantasia coreografica di Cia Fornaroli e di Margherita Wallmann che crearono due diversi balletti, rappresentati il primo a Sanremo (19 febbraio 1933), il secondo alla Scala (24 febbraio 1937).

PRÉFACE

Dans l'œuvre d'Ottorino Respighi (Bologne, 1879 - Rome, 1936), les grandes fresques symphoniques alternent avec de petits tableaux, composés de plusieurs séquences descriptives et destinés à des formations instrumentales réduites. Moins connus que les fameux poèmes "romains", la première suite des Antiche danze e arie *(Danses et airs anciens), la suite* Gli uccelli *(Les oiseaux) et le* Trittico botticelliano *(Triptyque de Botticelli) – une texture ténue où s'entrelacent subtilement de rares fils instrumentaux – rappellent la magie diaphane des acquarelles.*

Respighi se mit à composer le Trittico botticelliano *en mars 1927, au retour de la première tournée qu'il fit aux Etats-Unis. L'ouvrage fut exécuté pour la première fois lors d'un concert organisé par le mécène américain Elizabeth Sprague Coolidge, qui se tint le 27 septembre de la même année au Konzerthaus de Vienne, sous la direction du compositeur lui-même. Dans cette œuvre comme ailleurs, la fantaisie évocatrice du musicien s'abandonne à un goût archaïsant, qui est souligné par le recours à des mélodies grégoriennes, ou pour le moins modales.*

L'utilisation de musiques du passé, dont la production de Respighi offre plusieurs exemples, était une pratique courante dans la culture européenne de l'époque, qu'on retrouve également chez d'autres musiciens italiens, tels Pizzetti et Malipiero. Chez Respighi, elle venait étayer les résultats de la formation historiciste qu'il avait reçue au Lycée musical de Bologne, à l'école de Luigi Torchi, l'un des premiers collectionneurs de "L'arte musicale in Italia nei secoli XIV-XVII", dont il divulgua des pages remarquables et jusque là inconnues à travers la publication, en sept volumes, de l'ouvrage, édité par Ricordi.

Dans la "libre transcription pour orchestre" des deux premières suites (1917, 1923) des Antiche danze e arie, *Respighi évoque encore une fois le monde sonore d'un temps révolu, celui des danses de la Renaissance, conçues pour le timbre délicat et évanescent du luth.* Gli uccelli *présentent un type de récupération analogue: en l'occurrence celui de danses baroques originalement destinées au son caquetant et cristallin du clavecin.*

Respighi avait écrit la partition des Gli uccelli, *parallèlement à celle des* Impressioni brasiliane *(Impressions brésiliennes), en vue de son second voyage au Brésil, qui se fit en juin 1928. La première exécution eut lieu au Théâtre Municipal de São Paulo le 6 juin 1928, sous la direction du compositeur. Cette musique fraîche et pétillante stimula par la suite la fantaisie chorégraphique de Cia Fornaroli et de Margherita Wallmann, qui créèrent deux ballets différents, représentés respectivement à Sanremo (19 février 1933), le premier, et à La Scala (24 février 1937), le second.*

PREFACE

Alongside his large orchestral frescos, in particular the celebrated "Roman" symphonic poems, Ottorino Respighi (Bologna 1870 - Rome 1936) also composed some less well known works for chamber ensembles. The first suite of the *Antiche danze e arie*, the *Trittico botticelliano* (Botticelli Triptych) and *Gli uccelli* (The Birds)—each forming a sequence of illustrative panels—feature a limited number of subtly interwoven instrumental strands and are thus more reminiscent of the diaphanous magic of watercolours.

Respighi began work on the *Trittico botticelliano* in March 1927 on his return from his first tour of the United States. It was first performed under the composer's baton at a concert organised by the American patroness Elizabeth Sprague Coolidge and held on 27 September of the same year at the Konzerthaus of Vienna. In this work, as in others, Respighi's retrospective imagination freely indulges in archaicism, punctuated by his recourse to Gregorian melodies and modality.

The revisitation of early music, traces of which survive in many of Respighi's scores, was a widespread feature of European culture at the time, shared also by other Italian composers such as Pizzetti and Malipiero. In Respighi's case, retrospection was fuelled by the strong historical bias in his musical training at the Liceo Musicale of Bologna. For there he studied with Luigi Torchi, compiler of "L'arte musicale in Italia nei secoli XIV-XVII", a pioneering seven-volume anthology (published by Ricordi) including much music that was unknown at the time.

In the "free orchestral transcription" of the two suites of *Antiche danze e arie* (1917 and 1923 respectively), Respighi resurrected another archaic world of sound, that of Renaissance dance as expressed through the delicate strains of the lute. *Gli uccelli* is again based on dance, but this time on Baroque dances originally scored for the crystalline and more loquacious harpsichord.

The score of *Gli uccelli* was written, together with the *Impressioni brasiliane* (Brazilian Impressions), in preparation for a second visit to Brazil in June 1928. The first performance was given at the Teatro Municipal of San Paulo on 6 June 1928 with the composer himself conducting. The buoyant music inspired the choreographers Cia Fornaroli and Margherita Wallmann to create two different ballets: the first performed at Sanremo (19 February 1933), the second at La Scala (24 February 1937).

VORWORT

Neben seinen großen symphonischen Fresken schrieb Ottorino Respighi (Bologna 1879 - Rom 1936) auch Szenenfolgen für Kammerorchester. Weniger bekannt als die berühmten "römischen" Dichtungen sind die erste Suite Antiche danze e arie, *die Suite* Gli uccelli *und das* Trittico botticelliano, *die mit der feinen Verflechtung weniger instrumentaler Fäden an den zarten Zauber eines Aquarells erinnern.*

Respighi begann die Arbeit am Trittico botticelliano *im März 1927 nach der Rückkehr von seiner ersten Tournee in den Vereinigten Staaten. Die Uraufführung unter der Leitung des Komponisten fand am 27. September desselben Jahres im Wiener Konzerthaus in einem von der amerikanischen Mäzenatin Elizabeth Sprague Coolidge organisierten Konzert statt. Wie auch in anderen Werken bricht hier Respighis Vorliebe für archaisierende Elemente hervor, die sich in der Verwendung gregorianischer, oder in jedem Fall modaler Melodien zeigt.*

Das Aufgreifen von Musikformen der Vergangenheit, für das wir in Respighis Schaffen viele Zeugnisse finden, war charakteristisch für die damalige europäische Kultur und findet sich bei anderen italienischen Komponisten, etwa bei Pizzetti und Malipiero. Respighi konnte auf der gründlichen historischen Ausbildung aufbauen, die er am Liceo musicale in Bologna und in der Schule von Luigi Torchi erhalten hatte. Torchi hat als einer der ersten die "L'arte musicale in Italia nei secoli XIV-XVII" zusammengetragen und wichtige und bis dahin unbekannte Teile daraus durch die Veröffentlichung in 7 Bänden bei Ricordi auch einem größeren Interessentenkreis zugänglich gemacht.

In der "freien Orchestertranskription" der Antiche danze e arie, *erste und zweite Suite (1917 und 1923) hatte Respighi durch das Timbre der Laute Erinnerungen an eine andere archaische Klangwelt wachgerufen, und zwar die der Renaissance-Tänze.* Gli uccelli *hingegen entwickelt Tänze des Barocks, die für den hellen Klang des Cembalos entstanden waren.*

Gemeinsam mit den Impressioni brasiliane *war die Partitur von* Gli uccelli *für Respighis zweite Reise nach Brasilien (Juni 1928) geschrieben worden. Am 6. Juni 1928 dirigierte der Komponist die Uraufführung im Teatro Municipal in San Paulo. Die frische und lebhafte Musik gab die Anregung zu zwei Ballettchoreographien von Cia Fornaroli und Margherita Wallmann; die erste wurde am 19. Februar 1933 in Sanremo aufgeführt, die zweite am 24. Februar 1937 an der Mailänder Scala.*

GLI UCCELLI
SUITE PER PICCOLA ORCHESTRA

ORCHESTRA

I Flauto (Fl.)
II Flauto e Ottavino (Ott.)
Oboe (Ob.)
2 Clarinetti (Cl.)
2 Fagotti (Fg.)

2 Corni (Cr.)
2 Trombe (Trb.)

Celeste (Cel.)
Arpa (A.)

Violini I ⎫
Violini II ⎭ (Vni)
Viole (Vle)
Violoncelli (Vc.)
Contrabbassi (Cb.)

dur. 20'

Ottorino Respighi (1879-1936)
GLI UCCELLI (1928)
Suite per piccola orchestra

I. Preludio
da Bernardo Pasquini (1637 - 1710)

CASA RICORDI Editore, Milano

II. La colomba
da Jacques de Gallot (? - 1685ca)

24

III. La gallina
da Jean Philippe Rameau (1683 - 1764)

IV. L'usignolo
da un anonimo inglese (XVII sec.)

V. Il cucù
da Bernardo Pasquini (1637 - 1710)

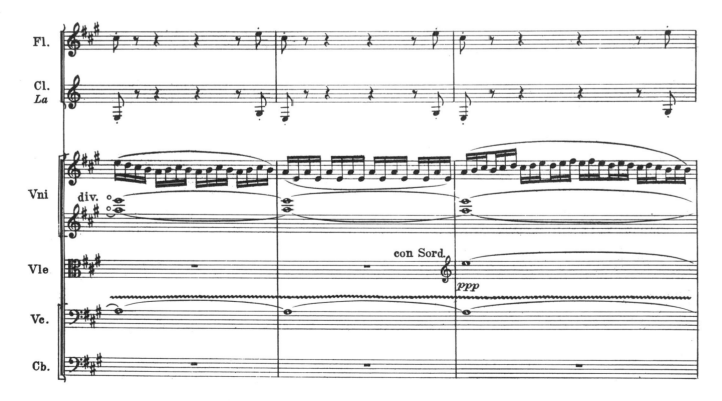

TRITTICO BOTTICELLIANO
PER PICCOLA ORCHESTRA

ORCHESTRA

Flauto (Fl.)
Oboe (Ob.)
Clarinetto (Cl.)
Fagotto (Fg.)

Corno (Cr.)
Tromba (Trb.)

Triangolo (Trg.)

Campanelli (Cmpli)
Celeste (Cel.)
Arpa (A.)
Pianoforte (Pf.)

Violini I ⎫
Violini II ⎬ (Vni)
Viole (Vle)
Violoncelli (Vc.)
Contrabbassi (Cb.)

dur. 16'

alla signora Elizabeth Sprague Coolidge

Ottorino Respighi (1879-1936)
TRITTICO BOTTICELLIANO (1927)
Per piccola orchestra

I. La Primavera

CASA RICORDI Editore, Milano
© 1928 by **CASA RICORDI** - BMG RICORDI S.p.A. © Renewed 1956 by **CASA RICORDI** - BMG RICORDI S.p.A.   **PR 1342**

poco rit.
a tempo
6 Allegretto ♩. 96
Ob.
Cl. Si ♭
Fg.
Cr. Fa
poco rit.
a tempo
6 Allegretto ♩. 96
Vni
Vle
Pizz.
Vc.
Cb.
Fl.
Ob.
Cl. Si ♭
Fg.
Cr. Fa
Cel.
Pf.
Vni
Vle
Arco
Vc.
Cb.

II. L'adorazione dei Magi

14
Poco più mosso ♩. = 66
Fl.
Ob.
Fg.
Cr. Mi
14
Poco più mosso ♩. = 66
Vni
Vle
Vc.
Cb.
Pizz.
p
Pizz.
Fl.
Ob.
Fg.
Vni
p
Vle
p
Arco
Vc.
p
Cb.
Arco

102

III. La nascita di Venere

23
Fl.
p dolce
Cel.
A.
23
Vni
pp
Vle
pp
Vc.
pp
Cb.
Fl.
(come un soffio)
Cl.
La
ppp
Cel.
A.
Vni
Vle
Vc.
Cb.

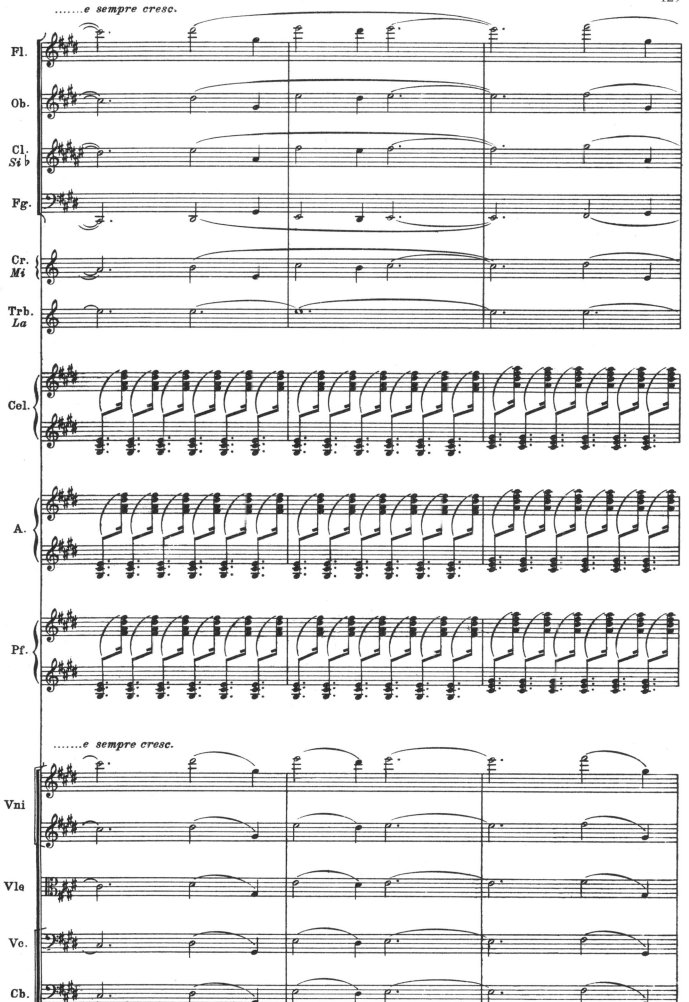

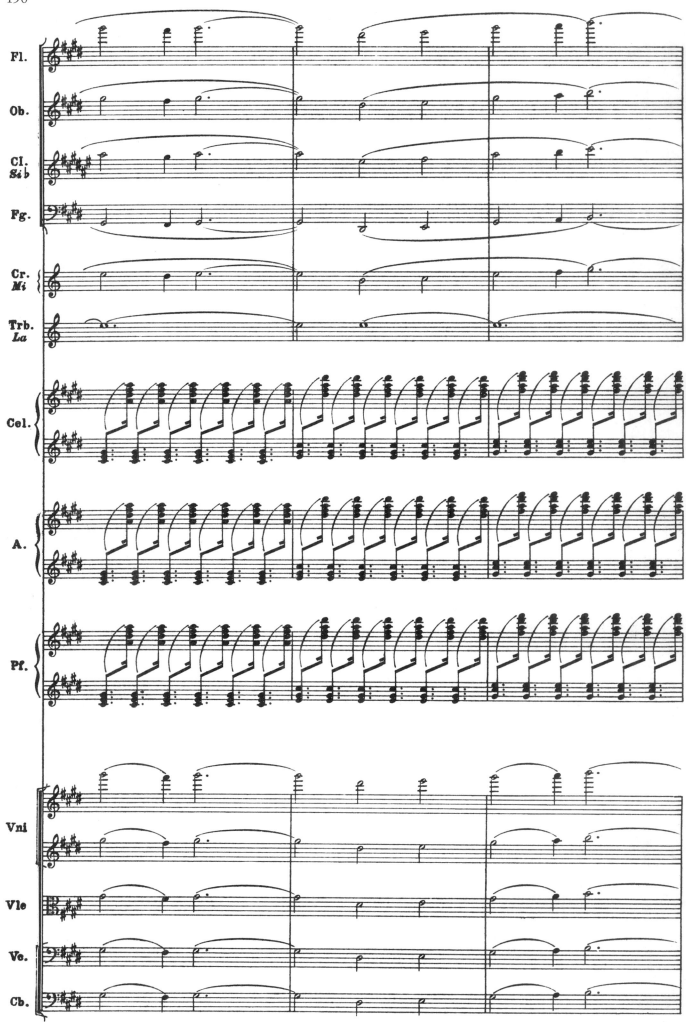